COMMENT DÉFINIR DES OBJECTIFS PÉDAGOGIQUES

Robert F. Mager, Ph. D

● *Traduit et adapté par G. Décote*
avec une préface du traducteur.

nouveau tirage

BORDAS

LA PREMIÈRE ÉDITION DE CE LIVRE
EST PARUE SOUS LE TITRE :

*VERS UNE DÉFINITION DES OBJECTIFS
DANS L'ENSEIGNEMENT*

Edition originale en langue anglaise :

Preparing instructional objectives. 1962 by Fearon Publishers.

*La première édition française de cet ouvrage a été publiée
sous le copyright Gauthier-Villars*

Première édition 1969

Nouveau tirage 1971

Nouveau tirage 1972

Nouveau tirage 1974

© BORDAS, 1975   N" 052 375 0411
ISBN 2-04-003179-0

BORDAS
PARIS BRUXELLES MONTREAL

PRÉFACE DU TRADUCTEUR

Mises à part de brillantes exceptions qui tiennent surtout à des enthousiasmes individuels, la pédagogie fut trop longtemps, en France, objet de scepticisme ou de mépris, quand son existence même n'était pas totalement ignorée, tant dans la recherche que dans la formation des futurs enseignants. Aujourd'hui encore, malgré l'utilisation progressive des diverses techniques audiovisuelles, une tâche immense reste à accomplir. Or, qu'on le veuille ou non, les problèmes scolaires et universitaires ne pourront plus, désormais, se poser dans les mêmes termes que par le passé. La prolongation de la scolarité, l'afflux des étudiants, les nécessités du recyclage et de l'éducation permanente, tout cela exige que soient repensées nos méthodes d'enseignement, d'orientation, d'analyse des aptitudes.

Dans le cadre de cet effort inéluctable de rénovation et d'invention, l'ouvrage de Robert Mager nous semble d'une lecture particulièrement stimulante, car il a le rare mérite d'être à la fois précis, clair et surtout pragmatique.

1. Précis.

Il ne s'agit pas ici d'une réflexion d'ensemble sur les problèmes éducatifs ou les méthodes pédagogiques. L'auteur s'attache à l'étude d'une question limitée, mais essentielle : la définition des objectifs dans l'enseignement. Quel but se propose-t-on d'atteindre dans tel ou tel cours ? Comment déterminer avec précision le contenu de l'objectif ainsi posé ? Comment vérifier que le but fixé a bien été atteint ? Autant de questions fondamentales auxquelles ce livre s'efforce de répondre avec netteté et concision.

2. Clair.

Robert Mager s'exprime simplement, sans recourir au jargon technique que trop d'auteurs croient indispensable d'employer pour donner à leur réflexion un caractère scientifique. On n'en est que plus sensible à la progression de sa démarche et à la logique de ses arguments.

3. Pragmatique.

L'auteur fait descendre la pédagogie du ciel historique ou philosophique sur la terre ferme des problèmes concrets qui se posent à tout enseignant dans l'exercice de sa profession. Aux considérations trop vagues sur la culture ou sur les programmes scolaires, il substitue des questions — et des réponses — précises sur le niveau de savoir ou de savoir-faire que l'on attend d'un élève, accompagnées chaque fois d'exemples de la manière dont il faut agir — ou ne pas agir.

Cet ouvrage s'adresse en priorité aux enseignants, mais il sera également lu avec profit par tous ceux que ne laissent pas indifférents les problèmes posés par l'acquisition et la transmission des connaissances. Il contribuera à mettre en pleine lumière l'importance et l'intérêt de l'une des plus attachantes des sciences humaines : la pédagogie.

Paris.

Georges DÉCOTE,
Agrégé de l'Université,
Assistant à la Faculté des Lettres
et Sciences Humaines
de Paris-Nanterre.

AVANT-PROPOS

Le problème de la définition des objectifs pédagogiques est devenu un sujet de conversation très courant, mais presque aucune action concrète n'est jamais menée dans ce sens. De nombreux ouvrages de pédagogie soulignent l'importance des objectifs ; des études sur la programmation dans l'enseignement mettent au premier plan la définition des objectifs dont il arrive fréquemment qu'une description soit donnée par certains auxiliaires pédagogiques tels que films et vues fixes. Bien rares sont toutefois les textes capables de répondre aux questions suivantes :

1. Quel est le contenu de ce que nous voulons enseigner ?
2. Comment saurons-nous que nous l'avons effectivement enseigné ?
3. Quel sont les moyens et les méthodes les plus appropriés pour enseigner ce que nous désirons enseigner ?

Il ne suffit pas de répondre à ces questions pour dispenser un enseignement efficace : l'ordre même des réponses a, lui aussi, son importance. Il faut répondre à la première question avant de passer aux deux autres.

Peu de gens savent, probablement, comment il faut procéder, et les objectifs sont en général mal définis. Cela n'a rien de surprenant : on a peu écrit sur leur préparation — très peu même à destination des enseignants.

Ceux-ci consacrent tous leurs efforts à l'acte d'enseigner lui-même ; ils ont tout naturellement tendance à penser qu'ils possèdent bien leurs objectifs, qu'il n'est d'ailleurs pas nécessaire ni même possible d'être plus précis qu'ils ne le sont.

« Comment définir des objectifs pédagogiques » est un travail de pionnier visant à décrire comment il est possible de déterminer ces objectifs. Son ambition n'est aucunement d'épuiser le sujet, mais bien plutôt d'en éclairer les premiers éléments. Il représente cependant un progrès très important. Ce livre ne se contente pas, en effet, de fournir une méthode intéressante pour définir des objectifs : il oriente cette définition en la considérant comme un problème pratique et obligatoire qui exige des solutions très fortement pensées. C'est là un apport important : les résultats pratiques sont en dernière analyse les meilleures preuves de la validité d'une méthode, quelle qu'elle soit.

Robert Mager a bien vu la nécessité de recommandations précises en ce qui concerne la fixation des objectifs, et c'est dans ce sens qu'il a dirigé de manière concrète son action. Le succès de ses efforts sera déterminé en partie par les réponses que vous ferez aux tests inclus tout au long de ce livre. La valeur ultime de celui-ci dépend surtout de la mesure dans laquelle vous chercherez à communiquer *vos propres* objectifs d'enseignement.

John B. GILPIN,
Associé au projet de recherche
sur l'auto-instruction.
Earlham College
Richmond (Indiana)

PRÉFACE DE L'AUTEUR

Il était une fois un souriceau qui rassembla les sept louis d'or qu'il possédait, puis s'en fut chercher fortune par le vaste monde. Peu après son départ, il rencontra une belette qui lui tint ce langage :

« Hé ! l'ami ! Où t'en vas-tu de ce pas ?

— Je m'en vais chercher fortune par le vaste monde, répliqua le souriceau.

— Pour toi, c'est jour de chance, dit la belette. Contre quatre louis d'or, je te donnerai cette voiture de course qui te permettra d'arriver beaucoup plus vite.

— Magnifique ! dit le souriceau qui monta dans la voiture et s'éloigna cent fois plus vite ».

Bientôt, survint un renard qui lui tint ce langage :

« Hé ! l'ami ! Où t'en vas-tu comme cela ?

— Je m'en vais chercher fortune par le vaste monde, répliqua le souriceau.

— Pour toi, c'est jour de chance, dit le renard. Il ne t'en coûtera qu'une petite somme pour avoir cette baguette magique qui te permettra d'aller encore beaucoup plus vite ».

Le souriceau acheta donc la baguette magique avec l'argent qui lui restait et s'en fut mille fois plus vite, sur terre et sur mer, comme une flèche.

Peu après, voici qu'il rencontra un requin qui lui tint ce langage :

« Hé ! l'ami ! Où t'en vas-tu à cette allure ?

— Je m'en vais chercher fortune par le vaste monde, répliqua le souriceau.

— Pour toi, c'est jour de chance. Si tu prends ce raccourci, dit le requin en montrant sa gueule béante, cela te fera gagner un temps précieux.

— Oh ! Grand merci, dit le souriceau qui fila tout droit dans la gueule du requin et fut ainsi promptement dévoré.

La morale de cette fable, c'est que lorsque vous ne savez pas au juste où vous allez, votre voyage a des chances de mal se terminer — avant même que vous ayez pu vous en apercevoir.

Avant d'établir vos programmes d'enseignement, avant de déterminer la méthode ou le matériel à utiliser, il est important de pouvoir exprimer clairement le but que vous voulez atteindre. Le présent ouvrage concerne justement les objectifs d'enseignement et la manière dont vous pouvez déterminer ceux qui sont les plus aptes à communiquer vos intentions à autrui. Il ne traite absolument pas de la philosophie de l'éducation, et ne concerne ni le choix de ceux qui doivent fixer les objectifs, ni la sélection de ces derniers.

Ce livre part naturellement de l'hypothèse que vous cherchez à mettre au point un enseignement efficace et que vous avez enseigné, enseignez actuellement, ou apprenez à enseigner. Il suppose en outre que vous cherchez à communiquer certaines techniques et connaissances à vos étudiants, et cela de façon telle qu'ils soient capables de prouver par leur succès qu'ils peuvent atteindre les objectifs que *vous* leur assignez. Si vous ne vous intéressez pas à la réalisation effective de vos objectifs, il est inutile d'aller plus loin dans la lecture de ce livre.

Palo Alto.

Robert F. MAGER.

TABLE DES MATIÈRES

Le texte proprement dit de ce livre est imprimé sur les pages de droite. Vous trouverez cependant certains passages en italique sur les pages de gauche; il s'agit d'informations complémentaires qui peuvent vous intéresser ou vous être utiles, mais ne sont pas essentielles pour atteindre les objectifs proposés dans cet ouvrage.

REMARQUE

La présentation de cet ouvrage est très différente de celle qui est généralement adoptée pour la plupart des livres que vous avez pu lire jusqu'ici. A maintes reprises, une question vous sera posée au bas d'une page : lorsque c'est le cas, vous devez choisir la réponse qui vous paraît la plus appropriée, et passer ensuite à la page indiquée en face de cette réponse. Les textes s'adaptent ainsi à vos besoins, et vous les suivez sans être distrait par des explications superflues.

Les pages de ce livre n'étant pas toujours lues à la suite, il est bon d'utiliser un signet pour savoir à tout moment où vous en êtes.

Passez à la page 1.

Ce livre n'a pas pour tâche de fixer quels sont les objectifs désirables ou justes. Il concerne la manière dont doit être formulé un objectif pour être efficace plutôt que son choix proprement dit. Nous nous limiterons donc à vous aider à préciser et à communiquer les buts que vous vous êtes fixés dans votre enseignement.

1
LES OBJECTIFS

Une fois qu'un enseignant — qu'il s'agisse d'un moniteur, d'un instituteur ou d'un professeur de lycée ou de faculté — a décidé de transmettre une technique ou un savoir à ses élèves, il lui faut nécessairement prendre un certain nombre de mesures s'il veut réussir. Il doit d'abord fixer les buts qu'il entend atteindre à la fin de son cours; il lui faut ensuite choisir les méthodes qui s'accordent avec ses objectifs, puis provoquer chez l'étudiant une participation active à la matière enseignée, selon les principes de la pédagogie ; il doit enfin mesurer ou évaluer les progrès de l'étudiant *en fonction des objectifs* retenus au départ. Nous traiterons ici de la première de ces activités, à savoir la description des objectifs. Si vous désirez préparer un cours qui vous permette d'atteindre un objectif donné, il vous faut alors définir clairement et sans équivoque cet objectif. Il vous est en effet impossible d'étudier la meilleure route à suivre pour atteindre une certaine destination sans savoir au juste quelle est cette destination.

De façon plus précise, les objectifs de ce livre seront atteints si vous pouvez, en fin de lecture, effectuer les tâches suivantes :

1. Etant donné un ou plusieurs objectifs d'enseignement, vous devez être capable de reconnaître ceux qui sont exprimés en termes d'activité manifestée et de performance accomplie.

2. Etant donné un objectif d'enseignement bien défini, vous devez être en mesure d'en déterminer la partie qui définit les performances minimum acceptables.

3. Etant donné une série de tests, vous pourrez déterminer ceux qui conviennent le mieux pour l'évaluation des objectifs.

« Savoir comment rédiger des objectifs » n'a pas été retenu comme l'un des objectifs de ce livre; la suite de votre lecture vous en donnera l'explication.

Pour vous aider à atteindre ces objectifs, je vais décrire certains des avantages qu'offre leur définition précise ainsi que les caractéristiques de ceux qui sont précisés avec efficacité ; je vais aussi montrer comment on peut reconnaître un objectif bien défini et sélectionner des éléments-tests pour évaluer la détermination correcte d'un objectif ; je vous donnerai ensuite l'occasion de voir dans quelle mesure j'ai réussi dans mon entreprise.

Le texte proprement dit de ce livre est imprimé sur les pages de droite. Vous trouverez cependant certains textes en italique sur les pages de gauche : il s'agit d'informations complémentaires qui peuvent vous intéresser ou vous être utiles, mais ne sont pas essentielles pour atteindre les objectifs proposés dans cet ouvrage.

Voici maintenant trois expressions qu'il est bon de définir :

Comportement :	toute activité visible, manifestée par un étudiant.
Comportement final :	comportement que vous souhaitez voir manifester par l'étudiant au moment où cesse votre influence sur lui.
Critère :	mesure ou test au moyen duquel on évalue le comportement final.

Tout au long de ce livre, on utilisera comme étant équivalents les mots d'« enseignants » et de « programmeur » : il n'y a pas de différence quant à *l'importance* de la fixation des objectifs, entre l'enseignement scolaire et l'auto-instruction.

Passez à la page 3

L'exemple suivant montre comment les activités poursuivies en classe peuvent contrecarrer les efforts déployés par l'étudiant pour atteindre un objectif, lorsque celui-ci n'est pas défini de la façon la plus soignée.

Dans un grand établissement de formation professionnelle, l'un des cours permettait aux étudiants d'apprendre à faire fonctionner et à entretenir un système électronique complexe. L'objectif de ce cours était simplement exprimé comme suit : « être capable de faire fonctionner et de maintenir en état de marche le système électronique X Y Z ».

Il était impossible de fournir à chaque étudiant un système individuel pour les travaux pratiques (en raison du coût exorbitant que cela aurait entraîné); on avait donc décidé d'augmenter les incidents soumis aux étudiants en leur faisant faire des « travaux pratiques », aussi bien pendant les cours qu'au laboratoire.

Pendant les cours de dépistage de panne, le professeur demandait à ses élèves de résoudre un certain nombre de problèmes variés. Il leur présentait un composant électronique sur l'un des nombreux schémas de l'équipement, et leur demandait : « qu'arriverait-il si ce condensateur était défectueux ? ». Les étudiants devaient alors examiner tout le circuit (sur papier) pour essayer de deviner les symptômes *que l'on observerait comme suite au trouble supposé par le professeur. Les élèves devaient donc remonter aux symptômes à partir de l'incident qui leur était indiqué. Cette façon de procéder était cependant absolument* contraire *à celle qu'on attendait de l'élève au moment de l'examen ou dans sa future profession. En effet,* dans cette dernière *situation, il se trouvait face à un* symptôme *et devait localiser l'incident. Les professeurs voulaient que l'élève apprenne à déduire, après lui avoir enseigné à procéder par induction.*

Faute d'une définition précise des objectifs, non seulement les élèves assimilaient des notions inexactes, mais les habitudes qu'ils contractaient en fin de cours se trouvaient en contradiction avec celles qu'on désirait les voir manifester dans leur activité professionnelle.

2

POURQUOI SE PRÉOCCUPER DES OBJECTIFS ?

Un objectif est une *intention,* communiquée par une déclaration qui décrit la modification que l'on désire provoquer chez l'étudiant, déclaration précisant en quoi l'étudiant aura été transformé une fois qu'il aura suivi avec succès tel ou tel enseignement. Il s'agit de la description d'un ensemble de comportements (performances) que nous désirons voir l'étudiant capable de manifester. Comme l'a dit le psychologue Paul WHITMORE : « L'exposé des objectifs d'un programme d'enseignement doit faire état de réactions *observables et mesurables* de la part des étudiants qui ont suivi ce programme jusqu'au bout; autrement il est impossible de déterminer si le programme a atteint ou non les objectifs assignés ».

Il est impossible d'évaluer avec efficacité la valeur d'un cours ou d'un programme lorsqu'il n'y a pas d'objectif clairement défini et que l'on ne dispose d'aucune base sûre pour choisir convenablement les moyens, les sujets ou les méthodes d'enseignement. Aucun ouvrier ne choisit un outil avant de connaître l'opération qu'il doit effectuer, pas plus qu'un compositeur d'orchestre un morceau avant de savoir quels effets il entend obtenir. De même aucun maçon ne choisira ses matériaux ni ne fixera les délais d'une construction avant d'avoir les plans (c'est-à-dire les objectifs) à sa disposition. On entend par contre trop d'enseignants discuter des mérites relatifs présentés par les manuels et autres moyens utilisés dans les classes, ou par les travaux pratiques de laboratoire, sans qu'ils aient jamais précisé au juste les buts que ces moyens ou méthodes doivent permettre d'atteindre. Un instituteur ou un professeur travaillera totalement dans le vague tant qu'il ne saura pas vraiment ce qu'il souhaite voir ses élèves capables de faire à la fin de son enseignement : je ne saurais trop insister sur ce point.

Il y a quelques années, l'instructeur responsable d'un cours militaire de 32 semaines, nota que les résultats des étudiants étaient plutôt médiocres à intervalle régulier : les notes étaient faibles pour le premier examen puis considérablement supérieures pour les deux suivants etc. Comme les notes étaient régulièrement faibles puis fortes pour tous les élèves, y compris les plus brillants, l'instructeur conclut à juste titre que cette particularité n'était pas due à l'intelligence ou à la médiocrité des étudiants. Il décida alors que les arbres lui cachaient la forêt et il fit appel à des conseillers extérieurs. Au cours de leur analyse, de la situation, ces conseillers relevèrent que le cours était divisé en 5 parties, chacune d'elles confiée à une équipe d'instructeurs différente et donnant lieu à trois examens. On remarqua que les étudiants répondaient médiocrement au premier examen car ils ne savaient pas ce qu'on attendait d'eux. Ils devaient utiliser ce premier examen pour découvrir par eux-mêmes ce que désiraient leurs instructeurs. Les objectifs une fois saisis, ils répondaient beaucoup mieux aux deux examens suivants; mais c'est une autre équipe d'instructeurs qui prenait alors la relève pour la partie suivante du cours. Les étudiants, eux, pensaient que les examens ultérieurs seraient semblables à ceux qu'ils venaient de passer et se préparaient en conséquence — ce qui les amenaient à découvrir que les règles avaient été modifiées à leur insu. Ils répondaient médiocrement au quatrième examen (le premier préparé par une nouvelle équipe d'instructeurs). La situation se répétait tout au long du cours. Les objectifs étaient vagues et on n'expliquait jamais aux étudiants ce qu'on attendait d'eux.

Il fut facile à l'instructeur en chef de remédier à cette situation, une fois que ces éléments furent portés à sa connaissance.

Il est également important de définir avec précision les objectifs pour pouvoir évaluer dans quelle mesure l'étudiant est capable de progresser dans le sens voulu. Les tests ou les examens sont des jalons placés au cours de l'enseignement pour montrer au professeur et à l'étudiant jusqu'à quel point ils réussissent tous deux à atteindre les objectifs du cours. Mais ces tests ne peuvent être, au mieux, que décevants, tant que les objectifs ne sont pas fixés de façon claire et définitive dans l'esprit des deux partis; au pire ils sont hors de propos, faux ou sans utilité. Pour être utiles, ils doivent mesurer *les performances par rapport aux objectifs*. Tant que celui qui met au point les tests n'a pas lui-même une image précise de ses intentions pédagogiques, il reste incapable de choisir des éléments de contrôle qui puissent refléter clairement : l'aptitude de l'étudiant à effectuer les activités désirées, ou la réussite de l'étudiant démontrant qu'il a acquis l'information voulue.

En outre, cette détermination précise des objectifs offre un avantage supplémentaire : l'étudiant a le moyen d'évaluer ses propres progrès tout au long du cours et la possibilité d'organiser ses efforts dans le cadre d'activités appropriées. Ayant des objectifs clairs en vue, il sait quelles activités de sa part peuvent mener à la réussite et il n'a plus besoin de chercher à deviner les intentions cachées de l'instructeur. Comme vous ne le savez que trop bien, les élèves consacrent un temps et des efforts souvent considérables à chercher à connaître les manies de leurs professeurs; malheureusement, cette connaissance est souvent très utile aux élèves perspicaces qui peuvent parfois obtenir de bons résultats sans autre effort que celui de mettre en pratique un certain nombre de « trucs » et de recettes destinés à impressionner favorablement le professeur.

Avant de commencer la discussion sur ce que j'entends par « objectif convenablement fixé », il est bon de s'assurer que vous avez bien compris ce qu'est un objectif. Examinez donc la définition suivante et répondez ensuite à la question qui vous est posée. *Vérifiez le bien fondé de votre réponse en passant à la page indiquée en regard de la réponse que vous avez choisie.*

> Etude générale de la monnaie et des systèmes monétaires : définition de la monnaie; ses fonctions. Monnaies métalliques et monnaies de papier. Monnaie et unité monétaire. Les systèmes monétaires et leur fonctionnement. Notions de théorie monétaire.

Que représente la définition ci-dessus ? Est-ce *l'objectif* d'un cours, ou plutôt sa *description ?*

Objectif d'un cours . . . . *passez à la page 6.*
Description d'un cours . . . . *passez à la page 9.*

Halte ! Vous n'avez pas suivi mes instructions. Rien dans ce livre ne renvoie à cette page. Lorsqu'on vous pose une question, vous devez choisir la réponse qui vous paraît exacte et passer à la page indiquée en face de cette réponse. Comme vous le voyez, j'essaie d'adapter sur mesure mes commentaires à vos besoins, en vous demandant de répondre à certaines questions au fur et à mesure que vous progressez. Il n'est ainsi pas nécessaire de vous surcharger l'esprit d'explications complexes, lorsqu'une seule suffit largement.

Reportez-vous donc à la page précédente et lisez à nouveau les instructions.

6

Vous avez dit que cette définition concernait l'objectif d'un cours. Il semble que je ne me sois pas fait comprendre et je vais essayer d'être plus clair.

La *description* d'un cours vous expose quelque chose sur le contenu et les méthodes de ce cours. L'*objectif* d'un cours décrit les résultats qu'on en attend. Le dessin ci-dessous vous aidera peut-être à mieux faire la distinction.

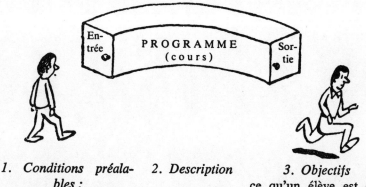

1. Conditions préalables :	2. Description	3. Objectifs
ce qu'un élève doit être capable de faire pour pouvoir suivre un cours	le contenu du cours	ce qu'un élève est capable de faire à la fin du cours, lorsqu'il l'a suivi avec succès

Alors qu'un objectif précise ce que l'élève doit être capable de faire après avoir suivi un enseignement donné, la description du cours s'occupe seulement du contenu de cet enseignement.

Cette distinction est fort importante, car la description d'un cours ne dit pas ce qui doit être considéré comme un résultat convenable : elle n'indique pas à l'élève quelles sont les règles du jeu. Certes, la description d'un cours peut montrer à l'élève sur quel terrain il va jouer, mais sans préciser quelles en sont les limites, où se trouvent les buts et comment on peut savoir qu'on a réussi à marquer le point.

Il est utile de savoir reconnaître la différence entre un objectif et une description; essayez donc avec ce nouvel exemple.

Laquelle de ces deux définitions ressemble le plus à un *objectif* ?

— *Etre capable d'expliquer les principes du mécanisme de la lecture dans les classes primaires* .... *passez à la page 7.*

— *Principes, techniques et méthodes du mécanisme de la lecture dans les classes primaires* .... *passez à la page 8.*

7

Vous avez dit : « être capable d'expliquer les principes du méca-nisme de la lecture dans les classes primaires » est la définition d'un objectif.

C'est parfait, vous avez raison. Cette définition décrit un *but recherché* plutôt qu'un cours. Elle n'est pas extrêmement précise, bien sûr, mais elle s'efforce de décrire un objectif plutôt qu'un contenu.

Maintenant vous pouvez continuer.

Passez à la page 10.

8

Allons ! Allons ! Ce que vous venez de lire offre la description d'un cours, description assez médiocre qui plus est... J'espère que vous ne vous êtes pas fourvoyé du fait que bien des programmes universitaires sont composés de phrases semblables. Il n'y a là *aucune* définition des résultats attendus de l'enseignement et nous n'y trouvons rien de ce qui nous intéresse ici.

Permettez-moi d'essayer d'expliquer comme suit la différence : la description d'un cours donne les divers aspects d'une SUITE D'ACTIVITES désignées sous le nom de « cours ». L'objectif d'un cours par contre décrit un PRODUIT, c'est-à-dire ce que l'élève est censé être capable de faire une fois le processus achevé.

Retournez à la page 6 et lisez le texte à nouveau.

Si vous avez préparé une définition précise des objectifs de votre cours, vous êtes alors pratiquement en mesure d'évaluer la validité des textes programmés établis commercialement, en comparant avec le vôtre les objectifs définis par les producteurs de ces textes. Lorsque le producteur d'un texte programmé n'a pas défini les objectifs de ce texte, vous devez faire très attention avant de l'acheter : vous vous trouvez en effet dans la position de celui à qui l'on demande d'acheter un produit dont il doit deviner les caractéristiques et la qualité.

Si l'enseignement programmé doit opérer un changement chez les élèves, il ne semble pas déraisonnabe de demander aux producteurs de textes programmés de préciser ce que seront devenus nos élèves à la fin de leur étude et d'exposer les connaissances préalables requises de ceux-ci, ainsi que la nature de la population sur laquelle ces textes programmés ont été testés, et la nature de celle à laquelle ils sont destinés.

Vous avez dit que cette définition était la description d'un cours. Vous avez parfaitement raison. Je suis sûr que vous avez reconnu dans cette définition la description d'un cours extraite directement d'un programme universitaire.

Un dernier mot sur ce sujet avant d'aller plus loin. L'exposé du contenu d'un cours n'indique pas les *résultats attendus* de celui-ci. Qui plus est, il ne dit pas quels sont les critères qui permettent de juger que les résultats en question ont bien été atteints.

Bien que la description d'un cours puisse apporter une contribution certaine et parfaitement légitime à la définition d'un schéma d'activité, nous ne nous intéressons cependant, ici qu'aux objectifs des cours.

Vous suivez bien : vous pouvez donc passer au chapitre suivant, page 10.

3

CARACTÉRISTIQUES
DES OBJECTIFS VALABLES

Vous savez maintenant que l'énoncé d'un objectif décrit le comportement que l'on désire obtenir chez l'élève. Quand celui-ci peut démontrer qu'il fait preuve du comportement voulu, vous savez que vous avez réussi à atteindre votre objectif. Mais comment allez-vous exprimer l'objectif pour porter au maximum vos chances de l'atteindre ? Quelles sont les caractéristiques d'un objectif convenablement fixé ?

Un objectif convenablement fixé est, fondamentalement, celui qui communique avec succès les intentions de l'enseignant à celui qui lit la définition de cet objectif. Il est valable s'il communique aux autres une image (de ce que peut être l'élève qui aura réussi) identique à celle que son rédacteur a en vue. Comme l'énoncé d'un objectif est un ensemble de mots et de symboles, on peut évidemment utiliser diverses combinaisons pour exprimer une même intention. Votre désir est de faire passer par ce groupe de mots et de symboles votre intention exactement telle que vous la comprenez VOUS-MEME. Supposons par exemple que vous fixiez un objectif à un autre professeur et que celui-ci enseigne à ses élèves comment agir selon une manière que vous estimez conforme à celle que vous aviez dans l'esprit : vous avez alors communiqué votre objectif d'une façon valable. Par contre votre définition n'a pas réalisé une communication convenable si vous estimez que les élèves sont incapables d'agir selon vos intentions, ou que vous aviez « quelque chose de plus en vue », ou encore que votre intention a été « mal interprétée ».

La définition convenable d'un objectif est donc celle qui réussit à communiquer votre intention; la meilleure est celle qui exclut

le plus grand nombre possible de variantes par rapport à votre objectif final.

On connaît malheureusement trop de mots « lourds de sens », qui ouvrent la porte à un grand nombre d'interprétations diverses. Vous vous exposez par votre faute à des interprétations erronées lorsque vous n'employez que des mots de ce genre.

Examinons donc dans cette optique la liste des mots suivants :

MOTS CONDUISANT A DE NOMBREUSES INTERPRÉTATIONS	MOTS CONDUISANT A MOINS D'INTERPRÉTATIONS
savoir	écrire
comprendre	réciter
comprendre réellement	identifier
apprécier	différencier
apprécier pleinement	résoudre
saisir le sens de	construire
prendre plaisir à	énumérer
croire	comparer
faire confiance	opposer

Que voulez-vous dire au juste, lorsque vous affirmez qu'un élève doit « savoir » quelque chose ? Désirez-vous qu'il soit capable de réciter, de résoudre ou de construire ? En lui demandant de « savoir », vous lui dites en vérité bien peu, car ce mot peut avoir des significations très variées. Il est certes légitime d'inclure des mots tels que « comprendre » ou « apprécier » dans la définition d'un objectif, mais une telle définition n'est pas assez précise pour être utile tant que vous n'indiquez pas comment vous avez l'intention d'évaluer cette « compréhension » et cette « appréciation ».

Votre description reste fort sommaire tant que vous n'avez pas défini ce que FERA l'élève lorsqu'il démontrera qu'il a « compris » ou « apprécié ». La définition qui communique le mieux votre intention est donc celle qui décrit le comportement final de l'élève d'une façon assez précise pour écarter toute erreur d'interprétation.

Comment pouvez-vous rédiger des objectifs qui décrivent clairement le comportement que vous désirez obtenir de l'élève ? Il y a diverses façons de procéder. La méthode exposée dans les pages suivantes est une de celles dont on sait qu'elle donne des résultats : c'est celle que je trouve la plus simple à utiliser.

Il n'y a pas lieu de se considérer comme un véritable maladroit parce qu'on utilise des mots tels que « apprécier » et « comprendre » dans les définitions de ses objectifs, à condition d'essayer d'expliquer ce que l'on entend par ces mots-là. Un façon d'y arriver est d'inclure la signification que l'on accorde à ces mots à l'intérieur même de la définition. Une autre est d'utiliser le mot général dans une description d'ensemble destinée surtout à identifier convenablement le thème, puis d'écrire autant de définitions précises qu'il est nécessaire pour communiquer son intention.

Premièrement : identifiez le comportement final par son nom. Vous pouvez déterminer quel type de comportement sera considéré comme preuve que l'élève a atteint l'objectif.

Deuxièmement : approfondissez le comportement désiré en décrivant ensuite les principales conditions dans lesquelles celui-ci doit normalement se manifester.

Troisièmement : précisez les critères des performances acceptables, en décrivant comment l'élève doit les exécuter pour qu'elles soient considérées comme telles.

Chacun des éléments ci-dessus permet de rendre un objectif plus précis, mais il n'est pas nécessaire de les inclure tous trois dans la définition de chaque objectif. Le but est de rédiger des objectifs susceptibles d'établir une communication; pour savoir si vous y avez réussi, l'énumération ci-dessus est proposée comme guide. Vous ne travaillez pas sur un objectif jusqu'à ce qu'il présente ces caractéristiques; vous travaillez plutôt jusqu'à ce qu'il communique clairement les résultats éducatifs recherchés. Vous rédigez autant de définitions qu'il est nécessaire pour décrire *tous* les résultats que vous attendez.

Vous disposez d'ailleurs d'un moyen de contrôle : si l'objectif, tel qu'il est rédigé, définit clairement le résultat que vous recherchez, vous devez pouvoir répondre « oui » à la question suivante :

Une autre personne compétente peut-elle sélectionner les élèves qui, selon la définition de l'objectif, réussissent et cela d'une manière telle que vous, le rédacteur de l'objectif, soyez d'accord avec la sélection qu'elle a faite ?

Les chapitres suivants décrivent justement de façon détaillée la manière dont cela peut être réalisé.

Passez à la page suivante.

4

LA RECONNAISSANCE DU COMPORTEMENT FINAL

La définition d'un objectif est utile dans la mesure où elle précise ce que l'élève doit être capable de FAIRE ou de REALISER pour donner la preuve qu'il a atteint l'objectif. Personne ne peut pénétrer dans l'esprit d'autrui pour déterminer ce qu'il sait : vous ne pouvez donc déterminer l'état de l'intelligence ou des capacités d'un élève qu'en observant certains aspects de son comportement ou de ses performances (le mot « comportement », tel qu'il est utilisé ici, se rapporte à toute action manifeste).

Le comportement ou les performances de l'élève peuvent être verbaux ou non verbaux. On peut lui demander de répondre à des questions, oralement ou par écrit, de démontrer qu'il est capable de faire preuve d'une certaine habileté technique, ou bien de résoudre certains types de problèmes. Mais, quelle que soit la méthode utilisée, vous ne pouvez déduire ce qu'il a réellement dans l'esprit que par l'observation de ses performances.

La caractéristique essentielle d'un objectif valable réside en ce qu'il *identifie le type de performance* qui doit être accepté comme preuve évidente que l'élève a atteint l'objectif.

Considérons, par exemple, la définition suivante d'un objectif :

Acquérir une compréhension critique du fonctionnement d'un poste de poursuite au sol.

Certes, cela peut constituer un objectif important, mais la définition ne nous dit pas ce que l'élève FERA lorsqu'il devra établir

qu'il a atteint l'objectif. Pour décrire ce que l'enseignant attend que l'élève soit capable de faire, nous trouvons les mots « compréhension critique » et il sera difficile de trouver deux personnes qui soient d'accord sur la signification de cette expression. Celle-ci n'explique certainement pas à l'élève comment il doit organiser son propre effort pour atteindre l'objectif.

Voici l'exemple d'une définition plus appropriée :

> Quand l'élève a achevé le programme de formation il doit être capable d'identifier et de nommer chacune des commandes disposées sur le panneau de poursuite au sol.

Quels sont ici les mots décrivant ce que fait l'élève lorsqu'il démontre qu'il a atteint l'objectif ? Ces mots sont « identifier et nommer ». L'objectif communique ici à l'élève le genre de réponse attendu de lui lorsqu'on contrôle sa compréhension de l'objectif.

Pour rédiger un objectif qui réponde à la première exigence, il faut donc écrire une définition décrivant l'une de vos intentions pédagogiques, puis la modifier jusqu'à ce qu'elle réponde à la question suivante :

> Quelle est l'ACTION de l'élève lorsqu'il fait la preuve qu'il a atteint l'objectif ?

Appliquons maintenant ce test à quelques exemples. Lequel des objectifs suivants est, selon vous, rédigé en termes de comportement (ou, si vous préférez, de performance) ?

Etre capable d'apprécier la musique .... *passez à la page 15*

Etre capable de résoudre des équations du second degré

.... *passez à la page 16*

15

Je peux imaginer comment vous avez pu être amené à dire que « être capable d'apprécier la musique » est exprimé en termes de performances. Il n'empêche que vous avez tort.

Posons maintenant la question-clé de cet objectif. Que FAIT l'élève lorsqu'il montre qu'il a atteint cet objectif ? Que fait-il lorsqu'il « apprécie » la musique ? Vous voyez certainement que, présenté de cette manière, l'objectif fixé n'est pas clair. L'objectif ne sous-entend ni ne définit aucun comportement et il nous faudrait bien admettre que l'élève apprécie la musique s'il manifestait *l'un seulement* des comportements suivants, au choix :

1. Il tombe en extase lorsqu'il écoute du Bach.
2. Il s'achète une installation HI-FI et 2 000 francs de disques.
3. Il répond correctement à 95 questions à choix multiples sur l'histoire de la musique.
4. Il écrit une étude intéressante sur la signification de 37 opéras.
5. Il s'écrie : « C'est merveilleux, ç'en est vraiment trop ! ».

Dites-vous bien que je ne suggère pas que « être capable d'apprécier la musique » est un objectif sans importance qui ne mérite pas d'être atteint. Il est de fait que dans le cas d'un objectif défini d'une manière aussi vague que celui-ci, personne ne peut avoir la moindre idée de l'intention exacte de celui qui l'a rédigé. C'est peut-être un objectif valable, mais défini en ces termes, il ne réussit nullement à établir une communication.

Revenez maintenant à la page 14 et choisissez l'autre réponse.

16

Vous avez dit qu'« être capable de résoudre des équations du second degré » est un objectif défini en termes de comportement.

C'est juste. Cet objectif dit ce que l'élève fera lorsqu'il démontrera qu'il a atteint le but fixé : il résoudra des équations du second degré.

Supposez que l'élève démontre qu'il peut *dériver* une équation du second degré. Ce genre de performance montre-t-il alors qu'il a atteint l'objectif ?

Oui .... *passez à la page 17*

Non .... *passez à la page 18*

Supposons que je veuille vous vendre une voiture d'occasion pour 3 000 francs en affirmant que cette auto est en « excellent état », mais que je vous refuse toute possibilité d'y jeter un coup d'œil. L'achèteriez-vous ?

Supposons que je vous propose d'enseigner à vos enfants comment « penser logiquement » pour la somme de 5 000 F. Si j'en étais capable, vous feriez certainement une très bonne affaire. Mais accepteriez-vous de traiter avec moi, tant que je ne vous aurais pas montré de façon plus précise ce que j'ai l'intention de faire et comment nous pourrions mesurer ma réussite finale. J'espère que non.

En un sens, l'enseignant — du moins dans le cas d'un cours privé — établit un contrat avec ses élèves.

Ceux-ci acceptent de payer une certaine somme en échange de certaines connaissances ou d'une certaine spécialisation. Mais, la plupart du temps, on leur demande de payer pour quelque chose qui n'est jamais défini ou décrit avec soin. On leur demande d'acheter (avec effort) un produit qu'ils n'ont pas la possibilité de voir et qui n'est que vaguement décrit. L'enseignant commet d'une certaine manière une injustice envers ses élèves lorsqu'il ne spécifie pas clairement les objectifs de son enseignement et ne décrit pas de son mieux comment il fera de l'élève une autre personne après lui avoir dispensé son enseignement.

17

Vous avez dit « oui ». Vous pensez qu'un élève a atteint l'objectif s'il peut prouver qu'il est capable de dériver une équation du second degré. Revoyons donc l'objectif et notons soigneusement comment il est défini :

« être capable de *résoudre* des équations du second degré ».

Cette définition ne dit rien sur la dérivation des équations, n'est-ce pas ? Si vous pensez que l'élève doit être capable également de *dériver* une équation donnée, vous rédigeriez alors un autre objectif, définissant ce que vous entendez par *dériver,* ou élargissant la précédente pour y inclure la capacité désirée de dériver des équations. Mais tel qu'il est défini, l'objectif n'inclut pas la capacité de dériver parmi les activités que vous pourriez accepter comme prouvant que l'élève satisfait aux exigences de l'objectif.

Vous n'avez pas besoin de vous occuper du fait que l'objectif défini couvre une si faible proportion des capacités et connaissances que vous souhaitez dispenser pendant l'ensemble d'un cours. Vous rédigez simplement un objectif couvrant *chaque* catégorie de capacités ou de connaissances que vous souhaitez voir acquérir par l'élève. Plus vous avez de définitions de ce genre, mieux vous avez réussi à communiquer votre intention pédagogique.

Revenez maintenant à la page 16 et choisissez l'autre réponse.

Peut-être avez-vous fait des expériences semblables à celle-ci : pendant ses cours d'algèbre en classe de cinquième, un professeur donna de nombreuses explications pour résoudre des équations simples et s'assura que chaque élève avait suffisamment fait d'exercices de ce genre pour avoir confiance en ses propres capacités. Mais lorsque l'examen eut lieu, les questions portèrent essentiellement sur des problèmes qui n'étaient pas formulés en termes d'équations, et les élèves fournirent un travail médiocre. Le professeur justifia ce tour de passe-passe en disant que les élèves ne comprenaient réellement l'algèbre que s'ils étaient capables de résoudre des problèmes.

Ce professeur avait peut-être raison, mais l'aptitude à résoudre des équations diffère totalement de celle requise par la résolution des problèmes. S'il voulait que ses élèves apprennent à résoudre ces derniers, il aurait dû le leur enseigner.

N'attendez jamais d'un élève qu'il soit capable de manifester une aptitude B alors que vous l'avez entraîné à l'aptitude A.

18

Vous dites que savoir *dériver* une équation ne prouve pas nécessairement que l'on soit capable de la *résoudre*. Vous avez parfaitement raison et si tel est votre premier choix, vous faites des progrès rapides.

L'objectif concernait l'aptitude à *résoudre* une équation et ne mentionnait pas l'aptitude à en *dériver* une. Si votre *objectif* était d'enseigner la dérivation des équations, vous auriez dû le communiquer en exprimant autrement votre objectif.

Pour rédiger celui-ci d'une façon valable, vous devrez invariablement noircir de nombreuses pages quand il s'agira d'un cours entier. Plus vous préciserez de manière détaillée vos objectifs, plus vous réussirez à communiquer vos intentions. Dans tous les cas vous n'êtes pas loyal envers vos élèves si vous leur demandez d'apprendre à résoudre des équations, et si vous leur faites ensuite passer un examen portant sur quelque chose d'entièrement différent. Pour éviter d'entrer accidentellement dans ce cercle vicieux, il faut que vos intentions pédagogiques vous apparaissent clairement à *vous-même* aussi bien qu'à vos élèves.

Prenons un autre exemple. Lequel des objectifs suivants est défini en termes de performances ?

Etre capable de réparer un récepteur radio ....
passez à la page 19

Savoir comment fonctionne un amplificateur ....
passez à la page 20

19

Vous dites que « être capable de réparer un récepteur radio » est défini en termes de comportement. Vous avez raison. Cet objectif répond au premier critère d'une définition valable, parce qu'il dit *ce que l'élève fera* lorsqu'il démontrera qu'il a atteint l'objectif : il réparera un récepteur radio.

Prenons encore un autre exemple. Laquelle des définitions suivantes est exprimée en termes de performances ?

Pouvoir écrire un résumé des facteurs ayant conduit à la crise de 1929 .... *passez à la page 21*

Comprendre les règles de la logique *passez à la page 22*

Connaître les règles du football .. *passez à la page 23*

20

Vous dites que « savoir comment fonctionne un amplificateur » est défini en termes de performance. Mais qu'est-ce que l'élève FERA lorsqu'il devra démontrer qu'il SAIT comment fonctionne un amplificateur ?

Supposez que je vous aie fait une leçon sur les amplificateurs et que vous me traciez le diagramme d'un amplificateur pour me montrer que vous savez comment il fonctionne. Et supposez que je vous mette une mauvaise note en disant qu'être capable de dessiner un objet ne prouve pas que l'on sache REELLEMENT comment il marche. Supposez maintenant que vous réunissiez des pièces détachées et quelques outils, que vous me construisiez un amplificateur fonctionnant correctement et que je vous donne à nouveau une mauvaise note en disant que le fait de construire un amplificateur ne prouve pas que vous SACHIEZ VRAIMENT comment fonctionne un tel appareil. Vous auriez probablement des réactions très vives et vous auriez raison. Mais vous avez sans doute compris le but de cette démonstration. Il n'y a rien à redire au mot SAVOIR, sinon qu'il ne veut pas dire grand-chose quand on l'utilise comme seul mot explicatif dans la définition des objectifs. Son pouvoir de communication est trop faible.

Savoir comment fonctionne un amplificateur peut sous-entendre la capacité d'en concevoir un, d'en construire un, de décrire les fonctions de chacun de ses composants, etc... Chacune de ces capacités constitue un objectif intéressant en soi, mais on ne sait vraiment pas LAQUELLE est contenue dans le mot SAVOIR.

Retournez à la page 18 et choisissez l'autre réponse.

21

Vous dites que « pouvoir écrire un résumé des facteurs ayant causé la crise de 1929 » est une définition en termes de performance.

Parfaitement exact. Vous avez apparemment appliqué la question clé à cet objectif et vous avez correctement conclu que l'élève devra « écrire un résumé ». Il n'aura pas à réciter un résumé, ni à en dicter un, pas plus qu'à reconnaître certains facteurs dans une longue liste. Il sait qu'en écrivant un résumé d'un certain nombre de facteurs il aura démontré qu'il a atteint l'objectif.

A propos de résumé, passez à la page 24.

22

Vous avez dit que « comprendre les règles de la logique » est défini en termes de performances.

Posons-nous la question clé de cette définition : que FERA l'élève lorsqu'il *comprendra* les règles de la logique ? Est-ce qu'il les récitera ? Est-ce qu'il en donnera la liste ? Est-ce qu'il résoudra des problèmes de logique ? Si oui quelle sorte de problèmes ? Cet objectif ne répond à aucune de ces questions. Vous devez décider ce que vous acceptez comme prouvant la « compréhension » et en donner ensuite une description dans votre objectif.

Retournez à la page 19 et choisissez une autre réponse.

23

Vous dites que « connaître les règles du football » est défini en termes de performances.

Posez-vous à nouveau la question clé de cette définition. Que FERA l'élève lorsqu'il montrera qu'il a atteint cet objectif ? Récitera-t-il les règles ? Ecrira-t-il une liste de règles ? Jouera-t-il sans en enfreindre une seule ? Regardera-t-il les autres jouer et signalera-t-il toutes les erreurs qu'il remarquera ? L'objectif ne nous dit rien à ce sujet.

Retournez à la page 19 et choisissez une autre réponse.

PREMIÈRE RÉCAPITULATION

1. Un objectif pédagogique décrit un *résultat attendu* et n'est jamais la présentation ni le résumé d'un cours.

2. Un objectif est utilement défini, lorsqu'il est défini en termes de comportement ou de performances, c'est-à-dire lorsqu'il décrit ce que l'élève FERA lorsqu'il devra prouver qu'il a atteint l'objectif.

3. La définition des objectifs se rapportant à un programme complet de formation, se compose de nombreuses définitions précises.

4. L'objectif défini de la façon la plus utile est celui qui communique au mieux l'intention pédagogique de la personne qui l'a choisi.

Passez à la page suivante.

5

DÉFINITION APPROFONDIE
DU COMPORTEMENT
FINAL

L'objectif que vous rédigerez sera bien moins équivoque que la plupart de ceux offerts aujourd'hui, si vous y précisez le comportement que doivent manifester vos élèves pour prouver qu'ils ont suivi avec succès votre enseignement. En effet, vous n'aurez pas attendu que vos élèves devinent vos intentions à partir de mots aussi ambigus que « comprendre », « savoir », ou bien « apprécier »; vous aurez au contraire identifié pour eux et pour vous-même le type d'activité que vous acceptez comme témoignage de leur réussite. Chose peut-être encore plus importante, vous aurez commencé par préciser vos objectifs d'une façon qui vous permette de choisir des éléments valables pour votre propre enseignement et vous fournisse une base pour évaluer celui que d'autres ont préparé.

Mais la simple précision du comportement final peut être insuffisante pour éviter qu'on ne vous comprenne mal. « Etre capable de courir un 100 mètres » contient sans doute une définition suffisante pour empêcher toute erreur d'interprétation. Mais il n'en est pas de même pour la définition suivante : « être capable de calculer un coefficient de corrélation ». Ce dernier objectif indique bien un comportement final, mais la définition n'en reste pas moins faible et l'élève peut commettre diverses erreurs d'interprétation. Quels types de corrélation veut-on lui faire calculer ? Est-il important qu'il suive une *méthode* donnée ou bien suffira-t-il qu'il présente une *solution* correcte ? Donnera-t-on à l'élève une liste de formules

Dans une entreprise industrielle américaine il devint un jour souhaitable d'enseigner à certains employés à « lire des instruments de mesure électriques ». Cette proposition sous-entend de nombreuses capacités et l'on désirait que les employés en question puissent utiliser la définition des objectifs pour évaluer leurs propres progrès; le projet final contint donc une liste d'objectifs, chacun concernant une aptitude particulière. Voici ce projet :

1. *Etant donné un instrument de mesure, l'élève doit être capable d'identifier la valeur indiquée par la position de l'aiguille aussi précisément que le permet l'appareil.*

2. *L'élève doit être capable d'indentifier la valeur indiquée par l'aiguille sur des échelles linéaires, non linéaires, inverses ou bi-directionnelles.*

3. *Etant donné un instrument de mesure n'ayant qu'une seule échelle mais doté d'un calculateur de gammes, l'élève doit être capable d'identifier la valeur indiquée par l'aiguille pour chacune des gammes du calculateur.*

4. *Etant donné un appareil de mesure possédant plusieurs échelles correspondant à chaque réglage du calculateur, l'élève doit être capable d'identifier l'échelle correspondant à chaque position du calculateur.*

Vous serez d'accord, je pense, pour estimer que la définition des objectifs ci-dessus vous donne un tableau bien plus précis de ce que l'on attend de vous, que si l'on se contentait de vous dire « vous devez être capable de lire des instruments de mesure électriques ».

ou attend-on qu'il travaille sans moyen de référence et sans aide d'aucune sorte ? La réponse à chacune de ces questions modifie notablement le contenu et l'importance du cours, l'orientation exacte des efforts de l'élève et le type d'examen convenant à l'objectif.

Pour définir un objectif capable de communiquer efficacement votre intention pédagogique, vous devrez souvent préciser le comportement final en déterminant les conditions que vous imposerez à l'élève au moment où il devra prouver qu'il a atteint l'objectif. Voici quelques exemples :

Etant donné un problème du type suivant ...
Etant donné une liste de ...
Etant donné une référence quelconque choisie par l'élève ...
Etant donné une matrice d'intercorrélations ...
Etant donné un jeu standard d'outils ...
Etant donné un appareil fonctionnant normalement ...
Sans l'aide d'aucune référence ...
Sans l'aide de la règle à calcul ...
Sans l'aide d'outils ...

Ainsi, au lieu de dire simplement : « être capable de résoudre des problèmes d'algèbre », nous pouvons améliorer le pouvoir de communication de notre définition en la rédigeant comme suit :

Etant donné une équation algébrique linéaire à une seule inconnue, l'élève doit être capable de trouver l'inconnue sans se servir de références, de tables ou d'instruments de calcul.

Jusqu'à quel point votre définition du comportement final doit-elle entrer dans les détails ? Elle doit le faire suffisamment pour que le comportement final soit reconnu par une autre personne compétente, et pour que d'autres comportements possibles ne puissent pas être confondus avec le comportement désiré. En résumé, vous devez être assez précis pour que d'autres personnes comprennent votre intention aussi bien que vous la comprenez VOUS-MEME.

Si vous connaissez bien la théorie du comportement, vous voyez que ce que nous appelons ici « conditions » est en fait, si nous voulons le formuler d'une façon plus précise, une description de comportements. Il est certain que « calculer avec une règle à calcul » est un comportement différent de « calculer avec une machine à additionner ». De même résoudre une équation entraîne des comportements divers, selon qu'on travaille avec ou sans l'aide de références.

J'admets bien volontiers que toute activité observable d'un organisme peut être qualifié de comportement; je reconnais aussi la précision technique d'une expression telle que : « écrire avec un grand crayon entraîne un comportement autre qu'écrire avec un bout de crayon ». Je maintiens cependant que la différence apporte plus de gêne que l'aide, en ce qui concerne la préparation des objectifs pédagogiques. Si vous vous mettez en effet à définir tous les aspects du comportement que vous avez l'intention de créer, alors vous serez bientôt empêtré dans les contradictions.

Pour vous aider à identifier les aspects du comportement final qui valent la peine d'être cités, vous devez décrire suffisamment de conditions liées à l'objectif, afin de sous-entendre clairement le genre de test permettant d'échantillonner le comportement que vous cherchez à créer.

27

Voici quelques questions que vous pouvez vous poser à propos de vos objectifs ; elles vous permettent d'identifier les aspects importants du comportement final que vous désirez obtenir :

1. Quest-ce qui est apporté à l'élève ?
2. Qu'est-ce qui est refusé à l'élève ?
3. Quelles sont les conditions dans lesquelles vous comptez voir le comportement final se manifester ?
4. Y-a-t-il certaines aptitudes que précisément VOUS N'ESSAYEZ PAS de développer ? L'objectif exclut-il ces aptitudes ?

Pour voir si je me suis bien fait comprendre, vous allez examiner l'objectif ci-dessous et passer à la page indiquée sous le membre de phrase qui, d'après vous, exprime quelque chose sur les conditions dans lesquelles le comportement terminal doit se manifester.

Etant donné une liste des facteurs conduisant à des événements historiques importants ayant contribué à la crise de 1929 . . . . *passez à la page 28*

moins cinq facteurs ayant contribué à la crise de 1929 . . . . *passez à la page 29*

28

Vous avez choisi « Etant donné une liste de facteurs conduisant à des événements historiques importants » comme étant les mots qui décrivent les conditions ou la situation dans lesquelles le comportement de l'élève (c'est-à-dire ici son choix) doit se produire.

Très bien ! Ces mots nous apprennent qu'on n'attend pas de l'élève qu'il choisisse les facteurs en question dans des livres, dans un essai historique ou dans sa mémoire. Ils lui disent qu'on lui fournira une liste et qu'on attend de lui qu'il reconnaisse des facteurs, non qu'il se les rappelle.

Voici un autre exemple d'objectif. Contient-il une référence aux conditions dans lesquelles le comportement doit se produire ?

Etant donné une liste de 35 éléments chimiques, l'élève doit être capable de se rappeler et d'écrire les valences d'au moins 30 d'entre eux.

Oui .... *passez à la page 30*

Non .... *passez à la page 31*

29

Vous dites que le membre de phrase « l'élève doit être capable de choisir etc. » décrit les conditions dans lesquelles on désire que le comportement de l'élève (c'est-à-dire son choix) se manifeste. Peut-être pensez-vous encore à la première caractéristique d'un objectif défini de manière valable, celle qui exige l'identification du comportement final. Si c'est le cas, je suis heureux que vous vous en souveniez. Mais l'on vous demande maintenant des termes décrivant la situation ou les conditions dans lesquelles le comportement final sera évalué. Peut-être reconnaîtrez-vous mieux des termes de ce genre dans un objectif si vous vous posez la questions suivante : « avec quoi ou dans quelle condition l'élève fait-il ce qu'il est en train de faire ? ».

Retournez à la page 27 et choisissez l'autre réponse.

30

Vous dites que la définition contient effectivement une référence aux conditions dans lesquelles l'élève devra se rappeler les valences des éléments. C'est exact. Elle nous dit qu'on lui donnera une liste d'éléments. Cet objectif contient une autre caractéristique intéressante; aussi allons-nous l'examiner à nouveau :

> Etant donné une liste de 35 éléments chimiques, l'élève doit être capable de se rappeler et d'écrire les valences d'au moins 30 d'entre eux.

Vous remarquez que cette définition nous apporte en outre une information sur le type de comportement qui sera considéré comme « admissible ». Elle précise en effet que 30 réponses correctes sur 35 constitueront *la performance minimale acceptable*. (Si vous soupçonnez que cela dénote une autre caractéristique d'un objectif clairement défini, vous avez raison une fois de plus. Je m'étendrai sur ce sujet dans le chapitre 6 : DEFINITION DES CRITERES.)

Passez maintenant à la page 32.

31

Vous pensez que la définition ne contient PAS de terme décrivant les conditions dans lesquelles le choix doit se produire. Relisons encore cette définition :

> Etant donné une liste de 35 éléments chimiques, l'élève doit être capable de se rappeler et d'écrire les valences d'au moins 30 d'entre eux.

La définition répond clairement à la première exigence et décrit ce que l'élève fera lorsqu'il démontrera son aptitude à atteindre l'objectif. *Il écrira les valences des divers éléments.* Cette définition nous dit-elle quelque chose sur les références que l'élève aura le droit d'utiliser, ou sur les éléments qui lui sont donnés pour travailler pendant qu'il réfléchira ? Mais bien sûr, sans aucun doute. Elle dit en effet que l'élève recevra une liste d'éléments sur lesquels il aura à travailler.

Retournez à la page 28 et choisissez la réponse correcte.

32

Il existe une manière souvent très efficace d'expliquer à l'élève les conditions dans lesquelles on désire qu'il agisse : c'est tout simplement de lui montrer certains tests à titre d'exemple. De nombreux professeurs ont l'habitude de distribuer à leurs élèves au moins une page d'exemples de tests tout au début de leur cours, afin de leur donner une image claire des conditions dans lesquelles ils seront notés.

Il y a plusieurs manières d'utiliser les tests comme éléments de la définition des objectifs. C'est ainsi que l'on peut formuler l'objectif de la manière suivante :

> L'élève doit être capable de résoudre le type suivant d'équation :
> $$Ax^2 + Bx + C = O$$

autre exemple :

> L'élève doit prouver qu'il a compris quels sont les pouvoirs légaux de l'Etat sur les programmes d'enseignement aux Etats-Unis en étant capable de répondre correctement à des questions du type suivant :

>> Voici une liste détaillée d'activités au cours d'une même journée dans une école élémentaire américaine. Indiquez les activités illégales dans le cadre de la réglementation actuellement et ajoutez celles exigées par cette réglementation, mais qui ne sont pas incluses dans l'emploi du temps. (Ci-joint l'emploi du temps détaillé.)

ou encore :

> L'élève doit être capable de démontrer qu'il a compris les règles de la logique en résolvant correctement des problèmes du type suivant :

> Laquelle des phrases suivantes est illustrée par le diagramme de Venn ci-contre :
> 1. tous les animaux sont des oiseaux
> 2. certains oiseaux sont des animaux
> 3. tous les oiseaux sont des animaux.
> 4. aucun oiseau n'est un animal

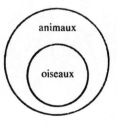

33

Quelle que soit votre façon de le présenter, votre objectif définira plus nettement le comportement s'il contient des termes qui décrivent la situation (données, autorisations, restrictions) dans laquelle on attend que l'élève montre qu'il a atteint l'objectif.

Avant de conclure ce chapitre et de passer aux dernières indications permettant de préparer des objectifs utiles, voici une méthode permettant de tester la clarté avec laquelle un objectif décrit le comportement final désiré.

Etant donné un objectif et un test comportant une série de questions, *on accepte ou l'on rejette* chacune des questions du test selon que l'objectif définit (inclut) ou non le comportement requis. (Cette façon de procéder ressemble à celle qui consiste à analyser un contrat pour rechercher les situations qui sont « couvertes » ou non par le contrat). Si toutes les catégories de questions présentées par le test doivent être acceptées comme appropriées, c'est qu'il faut définir l'objectif d'une manière plus précise. Si par contre l'objectif fixé vous permet d'accepter les questions du test qui vous paraissent appropriées et de rejeter celles que vous ne considérez pas comme valables, c'est que l'objectif a été rédigé d'une manière assez claire pour être utile.

Voici maintenant un objectif et des éléments de tests destinés à illustrer cette façon de procéder. Vous devez choisir l'élément approprié à l'objectif, et considéré comme valable parce qu'il représente l'intention décrite par l'objectif. Voici ce dernier :

> Lorsqu'on lui pose une question en anglais, l'élève doit pouvoir démontrer qu'il a compris cette question en répondant, en anglais, par une phrase appropriée.

Maintenant, parmi les éléments de test suivants, quel est celui qui correspond à l'objectif ?

— *Traduisez les phrases suivantes d'an-glais en français* .... *passez à la page 34*

— *Traduisez les questions suivantes d'an-glais en français* .... *passez à la page 35*

— *Répondez en anglais, aux questions suivantes* .... *passez à la page 36*

34

Vous avez choisi : « traduisez les phrases suivantes d'anglais en français ». Peut-être n'ai-je pas été assez clair en définissant ce que vous devez essayer de faire. Vous devez tenter d'identifier les éléments de test qui correspondent à un objectif donné et qui fournissent des indications sur le fait qu'un élève a vraiment atteint l'objectif fixé. Si vous avez choisi votre réponse en ayant dans l'esprit une idée nette de ce que vous devez faire, alors vous vous êtes trompé. L'objectif en question définit clairement la situation qui est une preuve acceptable de ce que l'élève « a compris », et cette situation n'est pas celle dans laquelle l'élève effectue une traduction.

Retournez à la page 33 et examinez à nouveau plus à fond l'objectif avant de choisir une autre réponse.

35

Vous pensez que traduire des questions d'anglais en français montre si un élève peut répondre en anglais à une question posée EN ANGLAIS ? Réfléchissez... Cela *ne convient pas* à l'objectif tel qu'il est défini. L'objectif précise le genre de comportement révélant les compétences de l'élève, et ce n'est pas un comportement de *traduction*.

Retournez à la page 33 et lisez l'objectif plus à fond avant de choisir une autre réponse.

36

Vous dites que la question : « Répondez en anglais aux questions suivantes » est l'une de celles qui permettent de mesurer dans quelle mesure l'élève a atteint l'objectif défini.

C'est tout à fait juste. L'objectif indiquait clairement que l'élève démontrerait qu'il avait « compris » lorsqu'il répondrait en anglais à des questions posées dans cette même langue.

Examinez maintenant cet autre objectif :

Etre capable de résoudre une équation linéaire simple.

Lequel des tests suivants est conforme à l'objectif ?

— *trouver x dans l'équation suivante :*
$2 + 4x = 12$ .... *passez à la page 37*

— *si 7 marteaux coûtent 70 francs, combien coûte 1 marteau ?* .... *passez à la page 38*

37

PARFAIT ! Vous avez vu que la seule façon de vérifier si un élève a appris à *résoudre* des équations est précisément de lui demander de résoudre un certain nombre d'équations.

Voyons maintenant ce qui se produit si vous appliquez cette façon de procéder à un objectif mal défini. Le voici :

Acquérir une certaine connaissance de l'histoire américaine.

La question est la suivante : l'un des éléments de test ci-dessous peut-il être considéré comme *non approprié* pour déterminer si un élève a atteint l'objectif ?

1. Discutez le sens de trois événements importants de l'histoire américaine.
2. Donnez les noms des généraux qui commandèrent les troupes américaines pendant la guerre hispano-américaine, la guerre de sécession et la guerre d'indépendance.
3. Citez autant d'événements que possible de l'histoire américaine entre 1850 et 1950 avec la date de chacun d'eux.

Oui .... *passez à la page 39*

Non .... *passez à la page 42*

38

Si vous n'avez pas répondu correctement à cette question (et c'est ce qui vient d'arriver), je ferais bien de prendre ma retraite. J'ai déjà examiné cet exemple auparavant, mais ne l'ai sans doute pas fait convenablement si vous avez déjà oublié mes explications.

Si vous désirez qu'un élève apprenne à résoudre des problèmes, il vous faut alors lui enseigner à résoudre des problèmes. N'attendez pas un bon résultat dans ce domaine si vous lui enseignez à résoudre des équations. C'est vouloir qu'un homme sache jouer du piano en lui enseignant à jouer du trombone. Il y a bien sûr des éléments communs aux deux aptitudes, mais PAS ASSEZ pour garantir que l'apprentissage de l'un garantisse automatiquement celui de l'autre.

Notre objectif définissait clairement que nous voulions apprendre à nos élèves l'aptitude à RESOUDRE DES EQUATIONS. La seule façon appropriée de le vérifier était donc de leur faire résoudre des équations. Il ne convient pas de leur demander de décrire des équations ou d'écrire une dissertation sur les équations ou de résoudre des problèmes.

Retournez à la page 33.

39

Vous dites que l'une des questions de la page 37 ne convient pas pour mesurer la connaissance de l'histoire américaine. Permettez-moi de vous poser la question suivante : l'objectif vous a-t-il dit *ce qu'il* faut examiner pour vérifier que l'élève « connaît » l'histoire américaine ? Tant qu'il ne l'a pas dit, comment pouvez-vous affirmer qu'un comportement quelconque est inapproprié ?

Essayons l'exemple suivant avant de continuer :

> Etant donné un moteur à courant continu de 10 chevaux-vapeur ou moins, présentant une seule défectuosité, et étant donné un ensemble standard d'outils et de références, l'élève doit être capable de réparer le moteur dans une période de 45 minutes.

Pour tester si vous avez atteint cet objectif, je vous ai donné un moteur en panne et je me suis contenté de vous demander de *localiser* la panne : mon test est-il adapté à l'objectif ?

Je pense que oui .... *passez à la page 40.*

Je pense que non .... *passez à la page 41.*

40

Vous dites que l'on peut demander un comportement de *localisation* pour tester un objectif demandant un comportement de *réparation*.

Examinons l'objectif de nouveau :

> Etant donné un moteur à courant continu de 10 chevaux-vapeur ou moins, présentant une seule défectuosité, et étant donné un ensemble standard d'outils et de références, l'élève doit être capable de réparer le moteur dans une période de 45 minutes.

« Réparer le moteur » signifie LE FAIRE FONCTIONNER. « Le faire fonctionner » est donc le comportement désiré. Or le test se contente de demander à l'élève la « localisation » d'une défectuosité. Il ne retient donc qu'une partie du comportement demandé par l'objectif et de ce fait il est nettement inapproprié pour mesurer le comportement en question. Pour que ce test puisse être considéré comme approprié, il faudrait lui adjoindre d'autres tests couvrant les autres aspects de l'objectif.

Retournez à la page 39, et lisez le test à nouveau ; puis choisissez la réponse correcte.

41

Vous dites que le test ne convient PAS à l'objectif. C'est exact, l'objectif demandait un *comportement de réparation* plutôt qu'un comportement de *localisation* et il n'est pas logique de ma part de vous demander l'un, après avoir dit que je désirais vous voir acquérir l'autre. Si l'objectif n'avait PAS été aussi précis, vous n'auriez pas su exactement ce que vous deviez apprendre; vous auriez pu perdre beaucoup de temps en *l'absence* d'informations précises, à découvrir quel genre de test je donnais, mes intentions secrètes, et autres pistes vous permettant de réussir.

Lorsque vous préparez le contenu d'un enseignement sans avoir fixé d'objectifs précis, vous risquez de ne pas fournir des informations et des exercices correspondant aux aptitudes que vous cherchez le plus à développer. Vous pouvez aboutir à confondre la difficulté qu'il y a à enseigner un concept avec l'importance de ce même concept.

Retournez à la page 37 et voyez si vous pouvez répondre correctement au test.

42

Très bien ! Vous avez vu que tous ces éléments peuvent être considérés comme valables, ou appropriés, étant donné la définition de l'objectif.

Il est donc utile d'apprécier les éléments d'un test sur la base de leur conformité avec l'objectif, lorsqu'on désire vérifier la précision de l'objectif lui-même. Lorsque l'objectif est défini de manière à inclure tous les types de questions possibles portant sur le sujet, il est énoncé de manière trop vague pour communiquer vraiment votre intention au lecteur. Au contraire il expose bien votre dessein s'il est défini de façon à inclure les questions et les situations qui vous paraissent appropriées tout en excluant en même temps celles qui ne vous semblent pas conformes à l'objectif : alors seulement votre objectif est assez clair pour communiquer véritablement vos intentions.

Passez à la page suivante.

DEUXIÈME RÉCAPITULATION

1. Un objectif pédagogique est une définition qui expose le résultat attendu de l'enseignement.

2. Un objectif est valable dans la mesure où il communique une intention pédagogique à son lecteur, et le fait à un degré tel qu'il décrit ou définit le comportement final désiré chez le lecteur.

3. Le comportement final est défini par :

   a. L'identification et la dénomination de l'acte observable accepté comme preuve de ce que l'étudiant a atteint l'objectif.

   b. La description des conditions (restrictions, données) nécessaires pour exclure les actes qui ne seront pas acceptés comme preuve que l'élève a atteint l'objectif.

Passez à la page suivante.

6

DÉFINITION DES CRITÈRES

Maintenant que vous avez décrit ce que vous désirez que l'étudiant soit capable de faire, vous pouvez accroître l'aptitude d'un objectif à communiquer vos intentions en précisant à l'élève la QUALITE du travail que vous attendez de lui. Ceci vous est possible en décrivant le critère des performances acceptables.

Si vous pouvez spécifier au moins les performances minimales acceptables en ce qui concerne chaque objectif, vous disposez alors de normes selon lesquelles vous pouvez tester vos programmes d'enseignement. Vous aurez ainsi le moyen de déterminer si vos programmes réussissent à réaliser vos intentions pédagogiques. Dans la définition de vos objectifs, vous devez essayer d'ajouter des mots décrivant les critères de réussite, afin d'y indiquer les performances acceptables.

Choisissez maintenant la phrase qui définit le mieux votre état d'esprit actuel :

Montrez-moi comment décrire les per- performances minimales acceptables. *passez à la page 45*

Bien des éléments de mon enseignement ne sont pas mesurables et ne peuvent être évalués . . . . *passez à la page 47*

Très bien. Voyons donc quelques moyens permettant de préciser des performances minimales acceptables dans la définition des objectifs.

La façon la plus simple d'indiquer un seuil minimum de performance acceptable est sans doute de spécifier un *temps limite* lorsque cela est possible. C'est ainsi que l'on procède fréquemment, lorsqu'on indique par exemple à l'élève combien de temps il a pour passer une épreuve. Quand l'enseignement ne juge pas le facteur temps essentiel, il peut informer l'élève qu'il va passer un test de « niveau » et qu'il dispose de tout le temps voulu ou nécessaire. Si vous voulez que la performance soit accomplie en temps limité, il serait injuste de ne pas communiquer ce critère. Considérons l'exemple suivant :

Etre capable de courir un 100 mètres.

Si la vitesse de l'élève n'est PAS l'objet du test, point n'est besoin de lui indiquer un temps limite. Par contre, vous devez préciser votre intention si l'objectif est de ne pas dépasser 14 secondes. Vous devez alors vous exprimer comme suit :

Etre capable de courir un 100 mètres en moins de 14 secondes.

Supposons maintenant que vous enseignez les mathématiques, et que vous attendez de vos élèves qu'ils manifestent une certaine aptitude à résoudre des équations. Vous pouvez utiliser, dans votre objectif, les mots écrits ci-dessous en italiques :

L'élève doit être capable de résoudre correctement *au moins* 7 équations linéaires dans un *délai de 30 minutes.*

Mais vous n'auriez pas besoin d'indiquer un délai si vous désirez seulement que l'élève « comprenne » comment résoudre ces équations et si vous n'attachez aucune importance au temps qu'il met pour le faire. Voyons maintenant plus en détail un autre exemple : Un apprenti-réparateur de télévision est censé apprendre à ajuster un petit aimant magnétique situé contre le tube-image. Si l'aimant n'est pas à sa place, on observe des zones d'ombre gênantes sur l'écran qui est, par contre, éclairé régulièrement si l'aimant est

placé correctement. On peut décrire comme suit l'objectif de l'enseignement décrivant cette aptitude :

> Etant donné un récepteur de télévision appartenant à l'un
> des types suivants (voir liste ci-après), l'élève doit être
> capable d'ajuster le petit aimant désigné.

Cette affirmation décrit-elle ou indique-t-elle le critère des performances acceptables ? Contient-elle des mots indiquant le moment où l'élève sera jugé comme ayant atteint l'objectif ?

Oui .... *passez à la page 48*

Non .... *passez à la page 49*

47

Admettons... Mais si vous enseignez des aptitudes qui ne peuvent être mesurées, vous êtes dans la situation gênante de ne pouvoir établir si vous avez enseigné quelque chose ou non.

Certes il est vrai, en général, que plus un objectif est important, plus il est difficile de le préciser ; mais il vous est parfaitement possible de définir vos objectifs bien mieux que vous ne l'avez fait jusqu'à présent. J'ai la ferme conviction que vous serez bientôt en mesure de faire mieux qu'actuellement. Chaque fois que vous progressez, même de peu, vers une expression adéquate d'un objectif, vous bénéficiez de nouveaux avantages et évitez tous les inconvénients signalés dans ce livre.

Voyons maintenant jusqu'où vous pouvez aller, même si vous ne pouvez jamais faire aussi bien que vous le désireriez.

Passez directement à la page 45.

48

Vous dites que cette phrase indique le critère d'une performance acceptable. En un sens vous avez raison. La définition établit sans doute ce que l'élève doit faire pour démontrer qu'il a atteint l'objectif (ajuster l'aimant), et elle ajoute qu'on lui confiera un appareil convenable d'un certain type pour effectuer cet ajustage. Elle sous-entend pourtant qu'on acceptera comme satisfaisant n'importe quel comportement consistant à régler l'aimant en question. Etant donné qu'on n'a fixé aucune limite à la performance, vous devez accepter n'importe quel comportement de réglage manifesté par l'élève.

Retournez à la page 46 et choisissez l'autre réponse.

49

Exact ! Vous avez vu que cette phrase ne décrivait ni ne fixait aucun critère de performance acceptable.

Il y a au moins deux façons d'améliorer cet objectif. La première est d'y inclure la description de l'écran de télévision après réglage correct. La seconde est d'y inclure un délai pour l'exécution du réglage. Après ces améliorations, l'objectif peut se présenter comme suit :

> Etant donné un récepteur de télévision appartenant à l'un des types suivants (voir liste ci-après), l'élève doit être capable de régler l'aimant désigné, de manière à obtenir un éclairement uniforme de l'écran dans un délai de 5 minutes.

L'indication d'un temps limite, s'il est nécessaire, est donc l'un des moyens dont on dispose pour définir une performance acceptable.

Un autre moyen d'indiquer un critère de performance réussie est de spécifier le *nombre minimal* de réponses correctes que vous acceptez, ou d'exiger l'énumération de principes qui doivent être appliqués dans une situation donnée et de ceux qui doivent être identifiés, ou encore de préciser les mots qui doivent être épelés correctement. Par exemple :

> Etant donné un squelette humain, l'élève doit être capable de reconnaître et d'identifier par leurs noms au moins 40 des os ; les erreurs ne seront pas pénalisées (voir la liste des os ci-après).

La performance minimale acceptable est déterminée comme étant le nombre des os à identifier. L'élève doit être capable d'en identifier au moins 40 et il est encouragé à formuler des suppositions. Une autre caractéristique intéressante de cet objectif répond à l'une des questions que vous vous êtes sans doute posées au cours de ce chapitre : Comment pouvez-vous indiquer avec précision quels sont vos critères d'évaluation, sans pour cela exiger que chaque élève agisse exactement de la même façon que les autres ? La définition ci-dessus est une bonne réponse, puisque chaque élève doit correctement identifier *au moins* 40 des os du squelette, ce qui spécifie une limite inférieure de performance acceptable mais permet à chaque élève de la dépasser en donnant plus de réponses que les autres.

Rien ne vous oblige à présenter un objectif unique dans une phrase unique. Vous trouverez, bien au contraire, de nombreux cas dans lesquels plusieurs phrases seront nécessaires pour communiquer clairement vos intentions. Cela arrive par exemple quand vous décrivez des objectifs exigeant un comportement de synthèse ou une activité créatrice de la part de l'élève. En voici une illustration :

> *L'étudiant doit être capable d'écrire une composition musicale à un seul ton. Cette composition doit comporter au moins 16 mesures et 24 notes. L'étudiant doit démontrer qu'il a compris les règles d'une bonne composition en appliquant au moins trois d'entre elles dans son exercice. L'étudiant doit achever sa composition en 4 heures.*

Voici un autre exemple, pris dans un cours sur les relations humaines :

> *L'étudiant doit être capable d'analyser 5 des 10 études de cas qui lui seront données au moment de l'examen. Ces analyses s'efforceront d'étudier les cas en appliquant les principes développés pendant le cours et l'étudiant doit établir qu'il a considéré chaque cas du point de vue d'au moins deux des intéressés en les retraçant en ses propres termes. Des références et des notes peuvent être utilisées et la rédaction des 5 analyses peut s'étendre sur une période de 24 heures.*

50

Au lieu d'indiquer un nombre, il est possible d'indiquer un *pourcentage* ou une *proportion*. Vous pouvez, s'il y a lieu, vous exprimer comme suit :

> L'élève doit être capable de répondre dans un anglais grammaticalement correct à 95 % des questions qui lui sont posées en anglais au cours de l'examen.

Vous pouvez également spécifier :

> L'élève doit être capable d'épeler correctement au moins 80 % des mots qui lui sont soumis pendant l'épreuve.

Ou encore

> L'élève doit être capable d'écrire les noms et adresses d'au moins 3 des 5 médecins parisiens ayant recommandé les produits des laboratoires X.

Une autre façon de décrire des critères du comportement est de définir les caractéristiques essentielles de précision des performances. A propos du réglage d'un récepteur de télévision dont nous avons parlé plus haut, on a dit que le comportement de l'élève serait considéré comme satisfaisant quand aurait été obtenu un « éclairement uniforme ». Dans *ce* cas précis on peut négliger les différences d'opinion sur ce qu'il faut entendre par « éclairement uniforme ». Ce récepteur fonctionne pratiquement aussi bien avec ici et là quelques vagues ombres sur l'écran. Mais il y a des cas où il est utile de mieux préciser les performances et où il est important de définir plus en détail la qualité des performances minimales acceptables.

C'est ainsi que pour l'entretien des missiles on doit exiger des techniciens l'aptitude à régler avec précision un écran de télévision rond appelé PPI. Cet écran comporte un dispositif indicateur électronique et le travail des spécialistes d'entretien consiste notamment à régler cet indicateur jusqu'à ce qu'il soit rond. Mais qu'appelle-t-on au juste « être rond » ? Et comment indiquer à l'élève quel degré de précision il doit atteindre avant qu'on estime son travail satisfaisant ?

Dans le cas considéré il est important que l'indicateur soit « très rond » ; mais il est visible que ces mots ne communiquent pas grand chose et qu'il faut chercher un meilleur mode de description en fonction de la qualité des performances recherchées. L'une des méthodes possibles consiste à définir l'importance de la *déviation acceptée* par rapport à une certaine norme. Il est ainsi possible

*Les livres suivants vous apporteront des informations très inté-
ressantes sur tout ce qui concerne les objectifs :*

*Taxonomy of Educational Objectives
tome I : Cognitive Domain,
Benjamin S. Bloom.
(New York : David McKay, Inc., 1956).*

*Taxonomy of Educational Objectives
tome II : Affective Domain,
D.R. Krathwohl, B.S. Bloom, et B. Masia.
(New York : David McKay, Inc., 1964).*

*Ces livres étudient les diverses catégories d'objectifs que vous
pouvez sélectionner et fournissent de nombreux exemples valables
en ce qui concerne les tests applicables à chacun d'eux.*

*Il n'est pas toujours possible de préciser un critère avec autant
de détails qu'on le voudrait, mais cela ne doit pas vous empêcher
d'essayer de communiquer aussi complètement que possible avec
l'élève. Vous saurez certainement trouver une façon d'évaluer tous
les éléments qui vous semblent assez importants pour leur consa-
crer une durée substantielle au cours de votre enseignement. Si
vous rencontrez un élément que vous êtes certain de ne pouvoir
mesurer, vous devez alors concentrer tous vos efforts justement à
la recherche d'une méthode en vue de le faire.*

d'appliquer un cercle témoin sur l'écran et de dire à l'élève que son indicateur sera « suffisamment rond » lorsqu'aucune déviation ne dépassera trois millimètres par rapport au cercle témoin. L'objectif peut être alors exprimé comme suit :

> Etant donné un système de radar XX-1, fonctionnant correctement, et un jeu d'outils standard, l'élève doit être capable de régler l'indicateur du PPI dans un cercle acceptable en moins de 45 secondes. Un cercle acceptable est défini par des déviations égales ou inférieures à 3 millimètres par rapport à un cercle témoin.

Voici peut-être des exemples plus familiers de la précision indiquée en matière de performances :

> « ... pour être considérées comme exactes, les solutions devront être précises à un chiffre près ».

ou

> « ... l'élève doit être capable d'utiliser une balance de précision afin de mesurer le poids des substances au milligramme près ».

ou encore

> « ... les calculs effectués avec la règle à calcul doivent comporter un degré d'exactitude de trois chiffres significatifs au moins ».

Lorsque vous essaierez de rédiger des objectifs satisfaisant aux exigences exposées dans ce livre, vous trouverez sans aucun doute d'autres moyens pour préciser la qualité des performances que vous acceptez comme preuves du succès de l'élève. Vous pouvez commencer utilement en analysant les tests et examens que vous donnez : ils vous montrent ce que vous utilisez ACTUELLEMENT comme normes de performances et vous pouvez améliorer vos objectifs en les exprimant par écrit. Vous pouvez ensuite vous poser les questions suivantes sur vos définitions, afin de mieux apprécier leur clarté et leur étendue :

1. La définition décrit-elle ce que l'élève fera lorsqu'il démontrera qu'il a atteint l'objectif ?

2. La définition décrit-elle les conditions importantes (données ou restrictions, ou les deux) dans lesquelles on attend que l'élève fasse preuve de sa compétence ?

52

3. La définition indique-t-elle comment l'élève sera noté ? Décrit-elle au moins la limite inférieure d'une performance acceptable ?

Peut-être vous arrivera-t-il de ne pouvoir décider si une phrase rédigée par vous peut être considérée comme une restriction ou un critère. Demandez-vous alors si cette phrase apporte une précision quelconque sur le niveau de la performance que vous attendez de l'élève. Si oui, alors c'est un critère. Ne vous troublez pas si vous continuez à ne pas savoir comment appeler cette phrase. L'essentiel n'est pas de savoir comment vous la dénommez, mais comment elle remplit la fonction qui lui est assignée.

Un dernier commentaire avant la conclusion finale. Il n'a été utilisé dans cet ouvrage que des exemples d'objectifs portant sur le « contenu » afin de vous familiariser avec la stratégie de la préparation des objectifs. Mais il vous arrive souvent, bien sûr, de vouloir atteindre des objectifs autres que ceux qui concernent avant tout des problèmes de contenu. C'est le cas par exemple, lorsqu'on désire que l'élève qui traite le sujet ait une certaine « confiance » en lui-même, ou acquière certaines « aptitudes critiques » : il est alors juste de décider ce que vous acceptez comme preuve de sa « confiance en lui-même » ou de ses « aptitudes critiques » et de décrire ces comportements dans des objectifs séparés. La définition des objectifs doit inclure tous les résultats *attendus,* qu'ils se rattachent ou non au contenu : c'est alors seulement que vous disposerez d'une base valable pour sélectionner les expériences d'apprentissage qui doivent être incorporées dans un programme d'enseignement.

Une fois armé d'objectifs qui établissent une communication, et une fois bien décidé à démontrer la manière de les atteindre, vous pouvez passer à la phase suivante de l'élaboration efficace de votre enseignement, à savoir la préparation des critères de vos examens.

Passez à la page suivante.

RÉCAPITULATION GÉNÉRALE

1. La définition d'un objectif pédagogique est un ensemble de mots ou de symboles décrivant une de vos *intentions* pédagogiques.

2. Un objectif communique vos intentions dans la mesure où vous avez décrit ce que l'élève FERA lorsqu'il démontrera qu'il a atteint l'objectif ainsi que la manière dont vous pouvez vérifier qu'il l'a réellement atteint.

3. Pour décrire le comportement final (c'est-à-dire ce que l'élève FERA), il vous faut :
   a) identifier et désigner par son nom le comportement global ;
   b) définir les conditions importantes dans lesquelles le comportement doit se manifester (données ou restrictions, ou les deux) ;
   c) définir les critères d'une performance acceptable.

4. Donnez une définition écrite de chaque objectif. Plus vous aurez de définitions, plus vos intentions auront de chances d'être clairement perçues.

5. Si vous distribuez une copie de vos objectifs à chacun de vos élèves, il ne vous reste plus grand chose à faire.

Passez à la page suivante.

7

AUTO-TEST

Les pages qui suivent contiennent un auto-test simplifié. Il vous permettra d'établir votre aptitude à déterminer si des objectifs donnés présentent les caractéristiques étudiées dans ce livre. Répondez à toutes les questions et cherchez ensuite les réponses correctes à la page 60.

L'auteur estime avoir atteint les objectifs qu'il a fixés à la page 1 si vous totalisez moins de 7 erreurs pour les 44 éléments du test.

1. Les objectifs définis ci-après le sont-ils en termes de performance (comportement) ? Chacun d'eux indique-t-il au moins un acte à exécuter par l'élève, lorsque ce dernier démontrera qu'il a atteint l'objectif ?

		OUI	NON
a)	Comprendre les principes de l'art de vendre.	——	——
b)	Etre capable de donner par écrit 3 exemples de l'humour de La Fontaine.	——	——
c)	Etre capable de comprendre la loi d'Ohm.	——	——
d)	Etre capable de nommer les os du corps.	——	——
e)	Etre capable de donner la liste des principes régissant l'administration des écoles secondaires.	——	——
f)	Connaître les pièces de Shakespeare.	——	——
g)	Comprendre *réellement* la loi du magnétisme.	——	——
h)	Etre capable d'identifier des objectifs d'enseignement indiquant ce que l'élève devra faire lorsqu'il démontrera qu'il a atteint l'objectif.	——	——

2. Etant donné les deux caractéristiques suivantes de la définition d'un objectif d'enseignement :

A. Identification du comportement qui doit être manifesté par l'élève.

B. Indication de la norme (ou critère) d'une performance acceptable.

Chacune de ces caractéristiques est-elle présente dans chacun des objectifs ci-dessous ? Pour chacun des objectifs, indiquez par une croix si les caractéristiques en question sont présentes.

	A	B
a) L'élève doit être capable de comprendre la théorie de l'évolution. Cette compréhension sera prouvée par une rédaction sur l'évolution.	——	——
b) L'élève doit être capable de répondre à un questionnaire de biologie marine comportant 100 questions à choix multiples. La limite inférieure des performances acceptables est fixée à 85 réponses correctes fournies dans un délai de 90 minutes.	——	——
c) L'élève doit être capable de nommer correctement chaque élément représenté par chaque image d'une série de 20 reproductions.	——	——
d) Pour démontrer son aptitude à lire un plan d'assemblage, l'élève doit être capable de réaliser la pièce représentée sur le plan qui lui est donné au moment de l'examen. L'élève pourra utiliser tous les outils de l'atelier.	——	——
e) Pendant l'examen final, et sans disposer d'aucune référence, l'élève doit être capable d'exposer par écrit les phases de la production d'une héliogravure.	——	——

f) L'élève doit être capable de saisir son révolver et de tirer 5 coups à hauteur de hanche dans une période de 3 secondes.

A 25 mètres de distance, tous les coups doivent toucher la cible standard. A une distance de 50 mètres, au moins deux coups sur cinq doivent l'atteindre. ⎯⎯ ⎯⎯

g) L'élève doit *bien* connaître les cinq règles essentielles de la recherche des homicides. ⎯⎯ ⎯⎯

h) L'élève doit être capable de remplir un compte rendu-type d'accident. ⎯⎯ ⎯⎯

i) L'élève doit pouvoir traiter en une rédaction cohérente de « la conception de l'amour dans le théâtre de Racine ». L'élève pourra utiliser toutes les références indiquées pendant le cours, ainsi que ses notes de cours. Il devra rédiger sur du papier fourni par l'examinateur. ⎯⎯ ⎯⎯

j) En face de chacun des principes psychologiques suivants, l'élève doit être capable d'écrire le nom des auteurs des expériences sur lesquelles se basent les principes. (Liste ci-jointe). ⎯⎯ ⎯⎯

k) Etant donné une liste d'objectifs, l'élève doit être capable d'évaluer chacun d'eux. ⎯⎯ ⎯⎯

l) Donner la liste des caractéristiques essentielles des enseignements programmés linéaires et polyséquentiels. ⎯⎯ ⎯⎯

m) L'élève doit être capable de donner le nom et un exemple de chacune des six techniques de programmation permettant d'obtenir une réponse correcte. Pour être considérés comme exacts, les éléments indiqués par l'élève doivent se trouver dans l'ouvrage « Techniques de Programmation », choisi comme manuel par l'instructeur pendant le cours. ⎯⎯ ⎯⎯

n) Mettre au point des méthodes logiques pour résoudre des problèmes personnels. ⎯⎯ ⎯⎯

3. Voici un objectif défini d'une façon plutôt médiocre :

> L'élève doit être capable de comprendre les lois régissant les contrats.

Indiquez si les situations de test suivantes peuvent être considérées comme appropriées pour déterminer si l'objectif a été atteint.

	APPROPRIÉE	NON APPROPRIÉE
Situations de test.		
a) L'élève doit indiquer par écrit la composition de la Cour de Cassation.	——	——
b) Etant donné un contrat dans lequel sont soulignées certaines expressions légales, l'élève doit rédiger une définition de chacune d'entre elles.	——	——
c) Etant donné un contrat et une liste de lois sur les contrats, l'élève doit indiquer, s'il y a lieu, les lois violées par la rédaction de ce contrat.	——	——
d) L'élève doit répondre à 50 questions à choix multiples sur les contrats.	——	——

4. Quelle situation de test serait appropriée, dans la liste ci-dessous, pour obtenir le type de comportement révélant si l'élève a atteint l'objectif ?

> *Objectif :* Etant donné un audiomètre fonctionnant correctement, l'élève doit être capable d'effectuer les mises au point et réglages préalablement nécessaires à l'exécution d'un test d'audition standard.

Situations de test.	APPROPRIÉE	NON APPROPRIÉE
a) Donnez la liste, dans leur ordre normal, des réglages nécessaires pour la bonne utilisation d'un audiomètre.	———	———
b) Prenez l'audiomètre placé sur la table n° 5 et réglez-le afin qu'on puisse l'utiliser pour exécuter un test d'audition standard.	———	———
c) Décrivez les opérations effectuées pour l'exécution d'un test d'audition-standard.	———	———
d) Exposez le rôle de l'audiomètre en matière de soins auditifs.	———	———

Passez à la page 60.

RÉPONSES A L'AUTO-TEST

1. a. Non
   b. Oui
   c. Non
   d. Oui
   e. Oui
   f. Non
   g. Non
   h. Oui

3. a. Non appropriée
   b. Appropriée
   c. Appropriée
   d. Appropriée

4. a. Non appropriée
   b. Appropriée
   c. Non appropriée
   d. Non appropriée

2.

	A	B
a.	Oui	Non
b.	Oui	Oui
c.	Oui	Oui
d.	Oui	Non
e.	Oui	Non
f.	Oui	Oui
g.	Non	Non
h.	Oui	Non
i.	Oui	Non
j.	Oui	Non
k.	Non	Non
l.	Oui	Non
m.	Oui	Oui
n.	Non	Non

Quel est votre score ?

Sept erreurs ou moins . . . . *fin de ce livre.*

Plus de sept erreurs . . . . *Retournez à la page 10*

IMPRIMERIE LOUIS-JEAN
Publications scientifiques et littéraires
TYPO - OFFSET

05002 GAP - Téléphone 51-35-23 +

Dépôt légal 434-1975

Imprimé en France

Dépôt légal : 4ᵉ trimestre 1975